PAPA OURS RENTRE À LA MAISON

PAPA OURS RENTRE À LA MAISON

Des histoires d'Else Holmelund Minarik
illustrées par Maurice Sendak

l'école des loisirs
11, rue de Sèvres, Paris 6e

Nouvelle traduction de l'anglais (États-Unis) par Agnès Desarthe

Loi numéro 49 956 du 16 juillet 1949 sur les publications
destinées à la jeunesse : septembre 1971
Dépôt légal : février 2016
Imprimé en France par I.M.E. à Autechaux
ISBN : 978-2-211-22579-3

Pour Ursula et Susan

TABLE DES MATIÈRES

Petit Ours et Chouette 9

Papa Ours rentre à la maison 22

Le hoquet 39

La sirène de Petit Ours 55

PETIT OURS ET CHOUETTE

« Petit Ours », dit Maman Ours,

« veux-tu bien aller à la pêche pour moi ? »

« Oui, avec plaisir », dit Petit Ours.

« Bon », dit Maman Ours.

« Peux-tu descendre à la rivière

et attraper du poisson pour nous ? »

« Oui, je peux faire ça », dit Petit Ours.

Alors Petit Ours descendit

à la rivière.

Et là, il rencontra Chouette.

Chouette était perchée sur une bûche.

« Bonjour, Petit Ours », dit Chouette.

« Bonjour, Chouette », dit Petit Ours.

« Papa Ours n'est pas là.

Il est parti pêcher dans l'océan.

Mais Maman Ours veut du poisson tout de suite,
alors je dois en attraper un. »

« Très bien », dit Chouette.

« Eh bien, vas-y. Attrape un poisson. »

Petit Ours se mit à pêcher.

« J'en ai un », dit-il.

« Est-il trop petit ? »

« Il m'a l'air très bien », dit Chouette.

« Oui, mais », dit Petit Ours,

« Papa Ours en attrape de beaucoup plus gros.

Il faut dire qu'il a un gros bateau. »

Chouette dit :

« Un jour, tu seras un grand ours.

Tu attraperas de gros poissons.

Et tu auras un bateau,

comme Papa Ours. »

« Je sais », dit Petit Ours.

« On peut faire semblant.

On dirait que la bûche serait un bateau.

Et moi, je serais Papa Ours.

Toi, tu n’as qu’à être toi,
et on irait à la pêche. »
« Où ça ? » demanda Chouette.
« Sur l’océan », dit Petit Ours.

« Parfait », dit Chouette.

« Hourra ! » dit Petit Ours.

« Regarde ce que j'ai attrapé. »

« Qu'est-ce que c'est ? » demanda Chouette.

« Une pieuvre », dit Petit Ours.

« Ah », dit Chouette.

« Mais regarde ce que j'ai attrapé, moi. »

« Qu'est-ce que c'est ? » demanda Petit Ours.

« Une baleine », dit Chouette.

« Mais une baleine, c'est trop gros »,
dit Petit Ours.

« C'est une petite baleine », dit Chouette.

Juste à ce moment, Maman Ours arriva.

« Où est mon poisson ? » demanda-t-elle.

Petit Ours se mit à rire. Il dit :

« Et si on mangeait plutôt de la pieuvre ? »

« De la pieuvre ! » dit Maman Ours.

« Dans ce cas », dit Chouette,
« pourquoi pas une petite baleine ? »
« UNE BALEINE !! » dit Maman Ours.
« Non merci. Pas de baleine. »
« Et que dirais-tu de ce poisson ? »
demanda Petit Ours.

« Il est parfait, merci », dit Maman Ours.
« C'est exactement ce que je voulais. »
Petit Ours dit :
« Tu verras, quand je serai
aussi grand que Papa Ours,
j'attraperai une vraie pieuvre. »
« Oui, et tu auras un vrai bateau »,
dit Chouette.
« Je sais », dit Maman Ours.
Chouette ajouta :
« Petit Ours pêche très bien. »
« Oh, oui », dit Maman Ours,
« il pêche admirablement.

C’est un vrai bon pêcheur,

exactement comme son papa. »

PAPA OURS RENTRE À LA MAISON

« Bonjour, Poule. »

« Bonjour, Petit Ours. »

« Devine quoi ! » dit Petit Ours.

« Quoi ? » dit Poule.

« Papa Ours rentre à la maison aujourd'hui. »

« Ah oui ? » dit Poule.

« Où était-il parti ? »

« À la pêche », dit Petit Ours,

« là-bas sur l'océan.

Très loin sur l'océan. »

« Mazette ! » dit Poule.

« Là-bas sur l'océan. Eh bien ! »

« Oui », dit Petit Ours,

« et imagine qu'il ait vu une sirène ! »

« Une sirène ! » dit Poule.

« Oui, une petite sirène », dit Petit Ours.

« Et imagine qu'elle revienne à la maison avec lui. »

« Oooooh ! » fit Poule.

« Une sirène dans ta maison.

Je veux la voir. Je viens avec toi. »

En chemin, ils rencontrèrent Canard.

« Bonjour, Canard », dit Petit Ours.

« Papa Ours rentre à la maison aujourd'hui.

Devine où il était. »

« Où ? » demanda Canard.

« À la pêche », dit Petit Ours,

« tout là-bas sur l'océan.

Là où, peut-être, habitent les sirènes. »

« Oui », dit Poule,

« et on va justement en voir une. »

« À quoi ça ressemble, une sirène ? »

demanda Canard.

« Une sirène ! » dit Petit Ours.

« Ma foi, une sirène, c'est très joli.

Les sirènes ont des cheveux bleu et vert.

Comme l'océan,

bleu et vert. »

« Papa Ours en ramène une à la maison »,
dit Poule.
« Ooooh ! » dit Canard.
« Je ne veux pas rater ça.
Moi aussi, je viens avec toi. »

En chemin,
ils rencontrèrent Chat.
« Bonjour, Chat », dit Petit Ours.
« Papa Ours rentre à la maison
aujourd'hui. Il était à la pêche,
tout là-bas sur l'océan. »

« Oui », dit Poule,

« là où habitent les sirènes. »

« Et », dit Canard,

« nous allons justement en voir une. »

« Où ça ? »

demanda Chat.

« Papa Ours en ramène une à la maison »,
dit Poule.
« Oui », dit Canard,
« et elle a des cheveux bleu et vert. »

« Et peut-être des yeux argentés »,
dit Petit Ours,
« argentés, comme la lune. »
« Des yeux d'argent ! » dit Chat.
« Comme c'est joli !
Je dois la voir absolument.
Je viens avec vous. »

Ils se remirent en route,

et virent bientôt la maison de Petit Ours.

Papa Ours était là.

Il était rentré.

Petit Ours courut vers Papa Ours

et l'embrassa.

Papa Ours embrassa Petit Ours.

Puis Papa Ours dit bonjour

à Poule, à Canard et à Chat.

« Nous sommes venus voir la sirène »,

dit Poule.

« Elle a des cheveux bleu et vert »,

dit Canard.

« Elle a des yeux argentés comme la lune »,

dit Chat.

« Et elle est très jolie », dit Poule.

« Charmant ! » dit Papa Ours.

« Où est-elle ? »

« C'est vous qui l'avez »,

dirent Poule, Canard et Chat.

« Ah, vraiment ? » dit Papa Ours.

Il regarda Petit Ours.

« Tu n’as pas de sirène ? » demanda Petit Ours.

« Même pas une toute petite ? »

« Non », dit Papa Ours,

« pas de petite sirène. »

« Eh bien ! » dit Poule.

« C'est la meilleure ! » dit Canard.

« Saperlipopette ! » dit Chat.

Ils regardèrent tous Petit Ours.

« Mais j'avais dit peut-être », fit Petit Ours,

« j'avais bien dit peut-être. »

« Venez », dit Papa Ours.

« Regardez ce que je vous ai rapporté.

Des coquillages.

Mettez-les à votre oreille,

et vous entendrez l'océan.

Et peut-être aussi les sirènes.

Je dis bien peut-être. »

LE HOQUET

Petit Ours était content.

Papa Ours était de retour.

Il lisait, assis dans son fauteuil.

Chat, Canard, Poule et Petit Ours
jouaient avec les coquillages.
Ils essayaient d'entendre l'océan.
« Je l'ai entendu », dit Chat.
« Moi aussi », dit Canard.
« Moi, pareil », dit Poule.
« Et moi – hic ! – aussi », dit Petit Ours.
« Hic ! » fit-il encore.
« Tu as le hoquet », dit Chat.
« Bois un peu d'eau, Petit Ours »,
dit Maman Ours.
Alors Petit Ours but de l'eau,
mais son hoquet ne s'arrêta pas.

« Bonjour, tout le monde ! »

dit Chouette depuis la porte.

« Bonjour, Chouette », dit Maman Ours,

« tu es exactement celle qu'il nous faut.

Tu es si pleine de sagesse.

Petit Ours a encore le hoquet, malgré l'eau.

Que faire pour l'arrêter ? »

« Voyons », dit Chouette,

« boire de l'eau, c'est très bien,

mais il faut aussi retenir sa respiration. »

« Hic », dit Petit Ours.

« Hic – mais je ne peux – hic –

pas retenir – hic – ma respiration en même

– hic – temps ? »

« Si, tu peux », dit Chouette.

« Essaie. »

Petit Ours fit ce que Chouette lui conseillait.

« Ça marche ! » dit Petit Ours.

« Je n'ai plus le – hic – hic – hoquet »,

dit-il en hoquetant de nouveau.

« Ça, ça marche à tous les coups »,
dit Chat, en donnant à Petit Ours
une tape dans le dos.
« Fouf ! » dit Petit Ours. « Hic !
Ça ne – hic – marche pas. »

« Quelqu'un frappe à la porte »,

dit Chat.

« Quelqu'un entre ici. »

Petit Ours éclata de rire.

« Regardez-moi – hic – ça », dit-il.

« Ce n'est que – hic – Canard et Poule. »

« Avons-nous réussi à chasser
ce vilain hoquet ? » demanda Canard.
« Non, il est – hic – toujours là »,
dit Petit Ours.

Papa Ours grogna :

« Il y a trop de bruit ici.

Qui fait tout ce bruit ? »

Il fixa Chouette, Chat, Poule et Canard.

« Comment voulez-vous que je lise

avec tout ce bruit ? » demanda-t-il.

Et il regarda Petit Ours.

« Du bruit ? » dit Petit Ours.

« J'avais juste le hoquet. »

« De quoi parles-tu ? »
dit Papa Ours.
« De mon hoquet », dit Petit Ours.
« J'avais juste le hoquet. »
Papa Ours se mit à rire.
« Un hoquet ! » dit-il.

« Je n'entends pas le moindre hoquet. »
« Mais j'avais le hoquet, je te promets »,
dit Petit Ours.
« Bon », dit Papa Ours,
« alors hoquette donc pour moi. »
Mais Petit Ours n'y arriva pas.

« Allez », dit Papa Ours.

« Un, deux, trois, hoquet ! »

Non, Petit Ours n'y arrivait pas.

« Eh bien », dit Papa Ours.

« On dirait que son hoquet a disparu. »

« Pourquoi veux-tu qu'il ait le hoquet ? »
dit Maman Ours.
« Qui a envie d'avoir le hoquet ? » dit Poule.
« Parfaitement d'accord », firent Chat et Canard.
« Qui a envie d'avoir le hoquet ? »

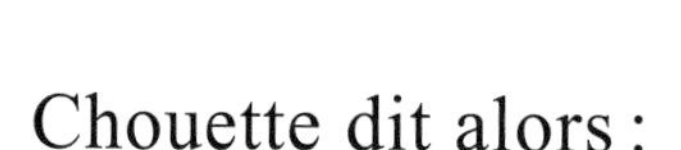

Chouette dit alors :

« On peut l’arrêter grâce à ma méthode.

Petit Ours n’a pas vraiment essayé. »

Ils se mirent tous à rire,

et Chouette aussi.

« Il suffit de savoir comment faire »,

dit Chouette.

« C’est vrai », dit Papa Ours.

« Il suffit de savoir comment faire. »

LA SIRÈNE DE PETIT OURS

« Et si nous pique-niquions ici ? » dit Maman Ours.

« C'est agréable, près de la rivière. »

« Allons nous baigner », dit Papa Ours.

Chouette dit :

« Petit Ours nage comme un poisson. »

« Oui », dit Petit Ours,

« mais les sirènes nagent encore mieux.

J'aurais tellement aimé qu'on ait une sirène.

Peut-être qu'il y a une sirène dans la rivière. »

« Je n’en ai jamais vu », dit Chat.

« Bah », fit Petit Ours,

« peut-être qu’elle est timide.

Peut-être qu’elle ne veut pas qu’on la voie.

Si on faisait semblant de dormir,

elle viendrait peut-être nous regarder. »

« Vous croyez qu'on lui plairait ? »
demanda Poule.
« Bien sûr », dit Petit Ours.
« Elle aurait peut-être envie de jouer
avec vous », dit Maman Ours.

« Alors moi, je bondirais d'un coup
et je jouerais avec elle », dit Petit Ours.
« Tu crois ? » dit Chouette,
« mais si elle est vraiment timide,
elle replongera aussitôt dans l'eau.
Et on ne verra plus que des bulles. »

« Je vois des bulles, là »,
dit Petit Ours.
« Et là où il y a des bulles,
il y a peut-être une sirène.
Je plonge. »

« Si tu trouves une sirène », dit Papa Ours,
« invite-la à pique-niquer avec nous. »
« Oui, fais donc ça », dit Maman Ours.
« Invite-la. »

« Promis », dit Petit Ours,

« parce qu'on ne sait jamais.

Il se peut qu'elle remonte à la surface avec moi. »

« Parfaitement », dit Papa Ours.

« Il se peut tout à fait qu'elle remonte avec toi.

Parce qu'on ne sait jamais,

avec les sirènes.

On ne sait jamais. »